劉福春・李怡 主編

民國文學珍稀文獻集成

第三輯

新詩舊集影印叢編　第90冊

【焦菊隱卷】

夜哭

北新書局 1926 年 7 月初版

焦菊隱　著

他鄉

上海：北新書局 1929 年 1 月出版

焦菊隱 著

花木蘭文化事業有限公司

國家圖書館出版品預行編目資料

夜哭／他鄉 焦菊隱 著 — 初版 — 新北市：花木蘭文化事業有限公司，

2021〔民 110〕

98 面／66 面；19×26 公分

（民國文學珍稀文獻集成 · 第三輯 · 新詩舊集影印叢編 第 90 冊）

ISBN 978-986-518-473-5（套書精裝）

831.8 10010193

ISBN-978-986-518-473-5

9789865184735

民國文學珍稀文獻集成 · 第三輯 · 新詩舊集影印叢編（86-120 冊）

第 90 冊

夜哭
他鄉

著　　者　焦菊隱
主　　編　劉福春、李怡
企　　劃　四川大學中國詩歌研究院
　　　　　四川大學大文學學派
總 編 輯　杜潔祥
副總編輯　楊嘉樂
編　　輯　許郁翎、張雅淋、潘玟靜　美術編輯　陳逸婷
出　　版　花木蘭文化事業有限公司
社　　長　高小娟
聯絡地址　235 新北市中和區中安街七二號十三樓
　　　　　電話：02-2923-1455／傳真：02-2923-1452
網　　址　http://www.huamulan.tw 信箱 service@huamulans.com
印　　刷　普羅文化出版廣告事業
初　　版　2021 年 8 月
定　　價　第三輯 86-120 冊（精裝）新台幣 88,000 元

夜哭

焦菊隱 著

焦菊隱（1905～1975），浙江紹興人。

北新書局一九二六年七月初版。原書三十二開。

夜哭
焦菊隱著

夜哭

焦菊隱著

北新書局
1926

致謝於作序的于賡虞君，及作畫的豐子愷君；還有姜公偉張士變二君替我作序作跋，因爲付印倉促，暫和我的自序一併抽出，在此感謝和抱歉。

菊隱記，七，一，一九二六。

目錄

目錄

2

目錄

目錄

目錄

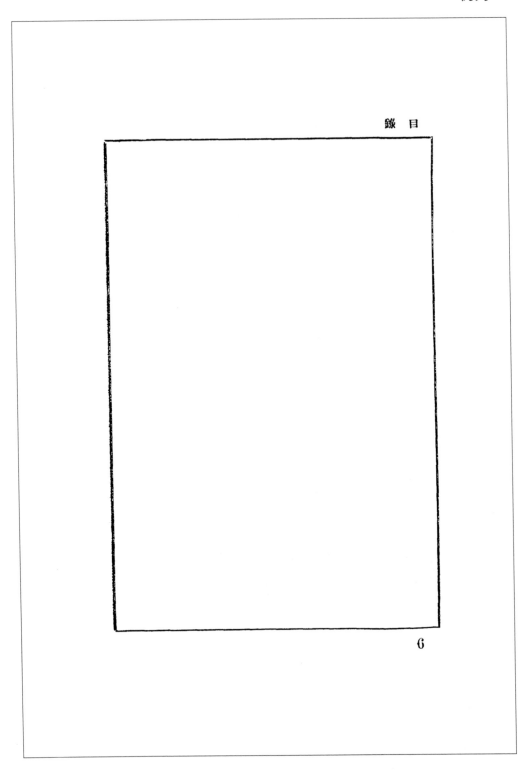

夜哭序

于賡虞

在此冷風蕭蕭的深秋之夜裏，獨自喝着「夜哭」的飄零的苦酒，倍增淒寂荒渺的感懷。

人生最不幸的一件事，是將生命淪落到命運的手裏，自己沒有操縱的權力。世界上一切的悲劇，都是從這一個舞台上演化出來的，菊隱「夜哭」，即是一個好例。他的家庭曾是一個很榮華的樂園，後來幾遭不幸，卒至凋零到難於維持，現在流落到江南的也有，流落到京華的也有，在天津的只有他的父母與妹妹了。骨肉的生別，固已令人飲痛；而人們的冷酷，更使人哀哭欲絕。在這樣的環境之中，他隱忍含痛的孤零零的往前走着，懷念着已往，夢想着將來，感到不少荒涼的意味。這「夜哭」正是他生命道上的一次微吟，正是從茫漠的沙洲上過去的一些遺痕。

菊隱的詩的創作，比較上以散文詩為成功。他曾受法國Baudelaire 與印度 Tagore 的影響不小；但詩中的情懷與思想，却依舊是他自己的。一個作家最大的成功，是能在他的作品中顯露出「自我」來。菊隱在這卷詩裏，曾透出他溫柔的情懷中所潛伏的沉毅的生力，曾閃爍出「將來」的光輝，這是我們從哭聲中所得的安慰。這卷詩中情思的纏綿與委婉，沉着與銳利，固已滿足了我們最近的欲望；但用這種文體寫詩，而且寫得如此美麗深刻的，據我所知，在中華的詩園中，這是第一次的大收穫。

在此冷風蕭蕭的深秋之夜裏，獨自喝着「夜哭」的飄零的苦酒，倍增淒寂荒渺的感懷。

十四年，十一月，二十二日，北京。

自敘

昨夜從夢中忽然醒來，眼淚不自主地流個不住。這已是我的常態了。回憶起白天裏對這個溫存，對那個軟語，都是一個像串戲是地抑制自己悲痛的把戲：這更使我酸心、我是笑臉慣了，對誰人都不忍給他一副愁容怒貌；憑你打我，我也忍下的。可是我一回到家中，在老母的面前，多少發些脾氣，惹得她傷心。我偏這樣逢迎寒酷的世人，我偏這樣摧殘愛我者的心。這使我背地裏常常啜淚！

昨天，一匣糖，一張照片，一罐藕粉、從母親那裏寄來了。我模糊的淚眼，對着這些東西發喜悅的閃光。冷冷地人間，各個世人的心猶如嚴冬的氷塊。他們待我，就好似待跑不動的小車夫一樣。那車夫用盡了力氣給先生拉了長道兒，在先生下了車時，非特不多給一個錢，反要駡上幾句無用的東西；再不然中途就給一頓苦吃。我在人間盡力，但，到後來，侮辱凌雪，一起來了。我自己就是被壓迫的階級，何必到什麼地方去呢？如此，我一年兩年的受過去！在這種傷心的生活裏，我常潑淚寫詩，因爲沒有推雕的心情，便順意寫散文詩。其實寫也寫不盡這荒謬的人生；這荒謬的人生，淹

自序

沒了多少世界的靈魂！我昨夜如何不哭呢？

我把這一堆東西印出去給和我一樣失魄的人看，我不是要得人們的同情，是使你們也知道一些這冰世界裏的苦人，曾怎麼活着就是了。

我不想請大人物作序，只有幾個略略知道我的朋友批評一頓就够了。我該當謝謝賡虞采真公偉。

一九二五，十一月十五夜。

一，夜哭

夜正淒涼，春雨一樣的寒顫幽躍的小風，正吹着婦人哭子的哀調，送過河來，又帶過河去。

黑色罩着一河徐緩的小溪，和水裏影映着的慘淡的晚雲，與兩三微弱的燈火。星月都沉醉在雲後。

我毫不經意地踱過了震動欲折的板橋，黑，寒，與哀怨，包圍着我如外衣一樣。

夜正淒涼，春雨一樣的寒顫幽躍的小風，正吹着婦人哭子的哀調，送過河來，又帶過河去。

我只能感覺這遠處吹來的夜哭聲，有多麽悲婉，多麽慘情。她內心思念牛乳樣甜而可愛的兒子有多麽急切焦憂呢？這我可不能感覺了。我不能感覺，因爲黑，寒，與哀怨包圍着我如外衣一樣。

夜正淒涼，夜裏的哭聲顫動了流氷，潺潺地在低語，又好似痛泣。

一九二四，三，十二夜，津

二，母親的病

夜在沈沈睡了的時節，母親從呻吟中驚醒了。

小妹正跪在花牀上，向無際間默默地祈語，阿姑也含着眼淚爲病的安琪祝福。

這可親愛的仁慈的靈魂，在夜正沈沈睡了的時節，從呻吟中輕輕驚醒。她問：『我的孩子還沒有睡麽？夜深了！』我在她牀前展開緊鎖了的雙眉，安安靜靜地答道：『母親，你的孩子已竟睡了。』他於是才又慢慢合上慈愛的惦念，未辨出我仍立在他病中昏亂的前邊。

三，早晨的愁雲

夜漸騰燃，灰白色漸漸染了浮泛的雲上，早晨在嬌媚的安靜裏，送來母親的呻吟。

花，滿載着慈愛的熱血，開在窈弱的綠枝上；陽光從窗隙中探進了眩目的金黃手，撫弄着花兒在嘆惜。這當兒，早晨在嬌媚的安靜裡，送來母親的呻吟。

我的心正騰沸着愁慘的哭聲，我仰望着天向着雲，空天也墜落了寶藍的神彩，朝雲上遮遍了灰愁。可惜我也不能從天上抽下一絲灰頹的雲縷，來描寫母親窈弱無力的呻吟。

我心的灰頹顏色中，正騰沸着慘愁的哭聲，浮泛有失色的朝雲。

一九二四，五，十三晨。

四，小朋友

聰明的小朋友，如一朵未放的花蕾，在一天黃昏裏，安靜地偷偷地卷在枝頭。

正是頹暮的紛擾裏，一朵孤另另可憐的花蕾，偷偷地從人間逃到天上，將小小的軀殼殉給了愛人。

你小朋友，弱小的赤心裏，騰燃了如淚的酸楚，在生前是何等使人愛惜呢？你的歌聲如慘霧遮了山峯一樣，將我的顫動之心加了一層失了色的糢糊淚影。你的血，如石榴子兒一樣，將我的眼都染哭了。

然而，小朋友，在你如搖籃的墓地裏，做着香甜的夢，也會知道這界的狂人在爲你作慘淡秋意般的歌麼？如果你能感覺，你所身殉的伊人，也將如薰香一般，乘了浮泛的悲痛之波紋，一同和我的寒歌吹入你的夢中！

同憶如春花散亂在我的心中，每瓣花片上都印着小朋友的血歌。唉，你如未發的花蕾，竟偷偷地萎在枝上；你，小朋友，歌喉雖嘎然止住，但我的耳際，還似有一腔低徊幽咽的微呻，輕輕滾進。

一九二四，六，七晚，念亡友陳勵準。

五，昨夜

昨夜正是陰雲，小風兒溜溜地刮着，如梅花舞在雪地一樣清媚。

正是淒涼的午夜、燈在昏睡，雨在微呻，從遠方湖畔吹來了低軟的聲音：『我的愛似一支箭，射出就不復回了！現是急雨，風兒又太輕狂、沒有可愛的月亮，我的箭射向那裏去了？這低言叮嚀着的湖水光流飛去的是我的箭影麼？我的箭究竟落到那兒了？』

我於是想起一年前曾受了一箭的殞傷，如今一輪紅血的

昨夜

心仍在痛癢。忽然摸着帶着淋血的箭頭，便一手從心上拔了出來。

左手持了淋漓帶血的羽箭，右手顫顫索索地開了室門。我的心麻醉的疼痛將我打倒。

外邊的狂風溜溜地刮着，如梅花舞在雪地一樣清爽。雨在跳躍，沒有人聲。

將箭拋向湖邊去，那裏閃着光流和老柏的黑身影，我說了一聲「還你」，就睡死在小狂風裏。風兒帶着我所躺在的血泊之腥臭，傳送給午夜還未成寐的伊人。

一九二四，五，廿，下午五時，寄SY。

六，死的美麗

啊，死是何等美麗呢？死，披着淡綠的面紗，穿着橄欖色的輕衫；冠着櫻冕，踏着白雲，如天使一般，將要來臨。

死，將如黑夜似的將我摟住，連連地接吻；我的微妙如顫歌的魄魂，便將滲化在她的美麗裡，永遠不想再還。

死，將在我的心邊低低漫吟，吟蘇麻沈醉的歌聲：她的歌吟永無止息；我的魄魂也將永不再還到鬱鬱不快的狹籠！

誰也不知道死有怎麼美麗，誰能知道呢？我在一天晨星微沈的破曉，找着她了。她就藏在悲哀的回憶裏，愁鬱的希朢裏。

啊，死是何等美麗呢？死，披着淡綠的面紗，穿着橄欖色的輕衫，冠着櫻冕，踏着白雲，天使一般，正在來臨。

一九二四，六，一，黃昏。

七・時之罪惡

時間一手將我所有的都偸跑了・只留下了哀悔。

時間好似狂風，連號帶唉・將我的生命偸跑了；我所有的殘餘、只是哀悔。

當我在安逸快樂時，她輕輕地向我軟語纏綿；使我不能從迷茫中振起—似一隻濕了翼的小鳥・伏居在溫暖的香巢。

我一聽了她甜密的美妙的脚聲，如飛絲般繞人心輪，於是漸漸睡了去。

但當我醒了時，一切都被時間偸走了；我所有的，現在，只是哀悔。

一九二四，六，五黃昏。

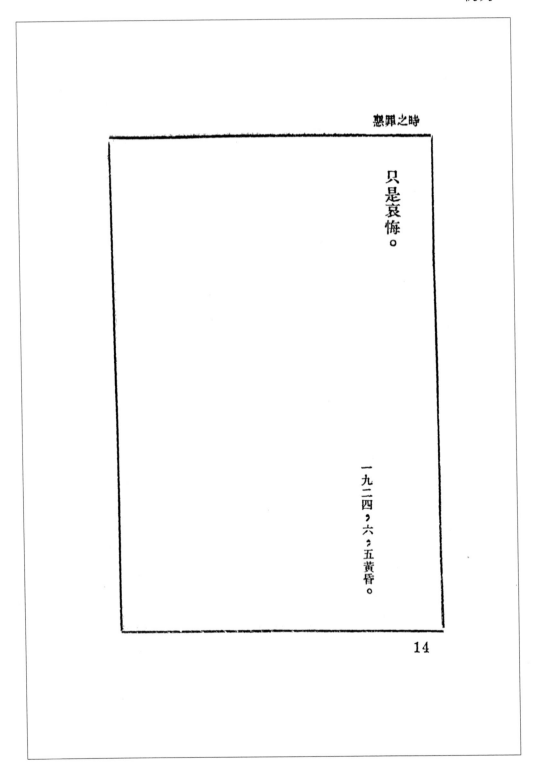

八，犬吠

黃昏孵蓄着的小巷裏，靜如沈香的靜寂中，飛漾來野犬的吠聲。浮滿了悲哀的波浪，似失子的母親在夜哭。一波波悲浪如船蕩漾水一般拍着我怯懦的心。

在春雨後的泥濘裏，我曾拜會過一隻稚犬；露着生時跑跳的神情和活潑的笑意，睡在道旁邊，沒有一個人垂意。

這黃昏中傳來的野犬吠聲，使我回溯起記憶的一段，想起了這麼一回事。

我將在一天春雨後死去，冷靜靜地睡荒郊，也如一隻小

犬吠

狗，依樣沒有人憐惜。

然而這好運的小狗眞是逢到好運了。我將也能如此麼？

誰將爲我的死也暗暗地灑一些同情的淚呢、

黃昏孵罩着的小巷中的犬吠，浮泛起我心中的悲哀。

一九二四，六五，，黃昏。

16

九，幻象的波瀾

朋友，從你載滿了香花的詩集內，我尋到了一處黃沙蔽天所在，這就是北地，充滿了愁慘雲霧和別離的痛苦的北地

來呀，這夢裏的團聚，我們將互握着柔膩的手，如一對小女孩兒一樣；倚傍着香肩，微微地低語，道着愛慕的芳香言語，如同春峽中潺潺的細泉一樣清響。

來呀，這夢裡，你將仍居在北地，不會再感到陵國裏的相思症也更不信北地是充滿了愁慘雲霧和別離的痛苦的話。

這裏沒有虛偽，只有希望的藍鳥和飛翔的鴿子；這裏沒有沈

霧，只有光明和清爽；這裏將爲一切「別離的愁苦」悲悼，哀它不再在北地盤留。

我的朋友，來呀；如果這能是真的，我將如穿着彩雲的小鳥的歡快。但，朋友，你沒有來：睡裏，夢中，我只有空伸着預備接收你的胳臂，你沒有來，終究沒有來！

這裏終於還是愁雲慘霧，和別離的悲苦。從你藏滿了回憶的香花的詩集裏，我才曉得你爲什麼不會來到我的夢中！你也是正做着北地黃沙的好夢，盼候着我到你夢中去的！

一九二四，六，十六夜讀趙景深的幻象，津。

十，銀夜

清幽的銀夜，似秋霜勻染了灰藍的風景。寒鴉在朦朧的樹梢正呻吟着林邊的囈語。

當我從溫暖的家鄉乘了金馬到此氷國的時候，是爲着我的龍鐘的叔父；他在月下迎我下了檀香鞍座，遞給我一盃橄欖香茶。那夜是芬芳快意；月亮正懸在偏東。

當我送我叔父到願望的家土去時，我替他披上銀斗蓬，帶上玉煙壺；月亮將白臉正映着他的白鬚。那夜是依戀不爽月亮正懸在正中。

銀夜

今夜：月亮偏西的時候，從寒鴉的口裏知道以前儘是迷夢。不能再期會的叔父的銀白髮鬚不在了，而銀白的月亮還是亮得如水，似乎等候我的比賽。

清幽的銀夜。似秋霜勻染灰藍的風景。寒鴉在朦朧的樹梢正呻吟着星邊的囈語。

一九二五，一，七，夜，京。

20

一一，人間

顫顫地，我把如一堆灰燼的心交給了黑林後的白月；吹失了桂花香的寒風持了鋼刃刺向兩脚。——想不到我會在這裡孤單的徘徊。仰頭望天，羣星注視着我，似問我奉了誰的使命來在這凄冷的人間。

顫顫地，我將頭俯下，似經了朔風的枯黃葉，頹唐，惱喪；我也不知誰會這樣神能萬變，將我流放到這人間！

顫顫地，我太息着已往石榴色的五月，那時的金黃塔座已拆改爲葬鐘時鳴的墓地，每日裏煙火繚繞中燃燒着愛，信，忠誠的死屍。現在是菊花初瘦的時節，誰還留意到隱逸的冷淡的罪犯倘留守在人間？

顫顫地，我心還在抖索着拆不斷的藕絲兒，緊聯到幻想中珠簾響處的繡鳳裙。脚下踏着鬆土，搖搖蕩蕩，彷彿是暗海裏的孤帆。——我正獨立在無涯淒苦的人間！

顫顫地，聽倏忽從幽靜裏奔放出的哀怨慘愁的軍笛，似受傷的小鳥在林裏展轉着發出臨死的悚人毛髮的調子。這聲音，伴着寒冷，用冰霜藥石拋向我虛淡空漠如死屍一般沒了生息的心，一激，一蕩，似潮汐牽惹沙灘，一激，一蕩。在笛聲最末的婉轉的一瑟，而音韵還旋着月輪來翻風鼓浪的時節，忽然一股的脂潔從胸之深谷裏衝流出，向眼角濤濤滾去這人間，擺好了利刃明刀，按好了網罟機阱；——我如今是落在蜘蛛網上的可憐虫。今夜憑命運的使命，受苦在人間！

昨夜夢裏迷離着聽見三京的錚鏦命鐃，幽嫚絲竹，和諧着蟾蜍歌舞的餘韵。今夜，只有一片淒然發光的大氣，將嫦娥的銀屏展在雲邊。我微弱的心啊，顫顫無力。似今晚梟歌也是悲歎無力，爲着嘆息我的受罪在人間。

看人家在雙龍柱下，白玉墀上，黃金座中。一雙眼瞬正對着紅寶石窗綠佩的欄嵌明珠萬千的繁富而微笑，更撩起峭崖下深谿處獨自對着夜半虎嘯獅吼而傷心惶恐的感傷。爲什麼，這究竟我也和人家來在同一個人間？

顫顫地我噓出微喘的寒氣，有如苔蘚的深谷中的龍延，沈重的犬吠，給夜的翻舞增了音韵。更悠悠盪盪，拽動了惱人，寒風之波震，隨了這波震的湍激，流洩在淚泉淙淙。兩隻脚似栽在新墳裡的小楊柳，左仰，右仰，顫顫地顫顫地將身影幌在月光照遍了的花銀窗。宇宙，只是如人生一樣的飄渺，也顫顫地搖的，搖飄渺的……人間！

二，誰是我的知心

我小小的心裏經了不少的鍛鍊，不少的摧殘，雖然那都是已往的痛苦，而細一尋思起來，仍舊令人流淚嗚咽。

對世人總是強顏歡笑，有酸淚總是背過頭去拭去。在席間，學會了喝酒；到夜裏，人家都睡了，我一個人不是提筆寫些無處伸訴的哀苦，就是蒙起被來，小聲兒哽咽。我往往一夜不眠，如果有月，再有一些梟鳥傷感的寒顫！

對世人總是如母親看待兒子，無論是顏色，無論是話語，總要使他心中覺乎安慰。雖然我對他懷了百分的滿怨，我總是忍氣，拿小聲兒環轉。但——唉，我的母親——世人那有知心？他那粗暴，如峭崖上奔下的瀑泉，如居庸關山道上的小石尖，誰可憐你是個經了秋霜的小草，誰可憐你是滿腹憂怨？可是——這時我還强含着淚珠，不教他落下；依舊用一種溫和的待遇，使他狂暴的心中還不生一些挫折的波瀾。

這只是懦弱！

我只是懦弱的人。我是被風霜摧殘倒了的懦弱的人！如果我能，我應把三年前的我叫回，請他着着實實地教訓我一頓。懦弱的人！惟其是懦夫，才緣是多有經驗，他一切觸景動情的熱烈，都已藏在深深的裏面，再也不似小孩子穿了一件花衫似的到處招展。唉，這世界——因爲你不招展，所以你才被認爲懦夫，因爲你再也不有抵抗，所以你才成了懦夫！懦夫！這懦夫，不是嬌，是充滿哀怨！你看他走，看他笑，看他，處處含了一種悲慘的低呻。如果你是膚淺，你才看出他的確是個懦夫！

無論如何，我總是個懦者！

可是誰明白懦者呢？唉，我的母親，除了你，有誰是我的知心？母親，我想你總能記得我替朋友哭着受了刑罰，你總能記得我每次在床上滾着爲失意而哭，你必不能忘的恐怕是我想法脫離這世界的情狀！我母，除了你，伴我這二十年，淸淸楚楚地看透了我，誰是我的知心？誰看我是個打倒障氣的勇士，誰看我是淸楚的好人？誰更看出我對於世人這樣體量？唉，我經了多少失意，因着軀殼尙存，就不願親眼再看旁人受盡挫磨；所以才和言甘語，自己寧作個安琪兒，在他們大不快意中，稍稍供些慰安。可是，可是沒有人知道我這個，他們所知的只有懦弱，懦弱！

住了，我最好是止住了我這悲哀的心！我又何苦，爲着誰？旁人既不需我這點點安慰，我又因為更受摧殘，反不如乘機歸去，痛痛快快地睡上千年長覺，倒很自在。省得在這裏空對明月落淚，空向流水流情，空伴着燈光迷迷蒙蒙地睡一陣哭一陣，終久終久還是沒有一個知心！

偉大的世界裏，有誰是我的知心？

偉大的世界裏，有誰是我的知心！

一九二五年，五，十八子夜。

慰波微

前幾日，春風吹遍了天下，到處都是楊柳花，輕黏蕩惹，盡了一時的榮華。但這時的槐花，又香得令人心麻；可看她香到幾時，香到幾時呵！

這人生，不過是一縷青烟夢，風來時，旋捲成圈，或者烟消霧散。誰能使無上沒有風波雷雨。沒有苦辣酸甜？

夢裏人要超乎夢境，看花朵萬千，都是偶爾一現。唯其如此，夢才有了樂趣。不然，那平靜的人生，如水車的旋轉，再也轉不出新的花樣，再也轉不出新的聲音。那樣的人生，充滿了肉的痲醉，有何意味，有何意味？

其實正可離夢而去；然而不要去，不要去！去時自己做了人家的夢；再尋愁夢，尋出難尋。倒還是在夢中張開了雙眼，也配個角色，演上一幕迷離的戲劇。雖然也有失意，也有失戀，但能知那是配的角色，就是眼中有淚，心可安然！

在頑皮的青年的心情中，沒有深的哲理，只這浮淺的玩世意念；也明知悲哀者當情感衝動時無法接受，但仍然拿純白的心和微笑的紅臉，將這不值錢的東西，送到大姐的面前。

一九二五，五，十，子時。

一・盔甲廠

一縷青烟繞紅林，漠漠淡淡的朝霧將塵沙遮了踪影。曉日似我姐姐用的胭脂餅，掛在角樓的綠椽上。雲呢，似我妹妹的冰霜肌膚．浴後披上了一層透光紗，人人都惦着泡子河，就不知道這秀色悅人的盔甲廠。

紅光萬道，從埋葬青春的墓林後一條一條射到房脊上的鴉嘴上。試聽一聽烏鴉的叫喊，是不是天將晚了，微風起了．有孩子的快去到街口去呼喊？滿地的灰紗瞪着滿天的灰雲。人人都惦着泡子河，却不知道這夕陽微笑中的盔甲廠。

沒有風，沒有霧，更沒有月亮的時，四周全是黑暗。只有大道中間一盞路燈，甏量的飛弄眉眼，既如揚子江心的殘月，又如我嫂嫂耳上的明珠。縱然不像情人的小眼睛，也有幾分似蒼松林中的丁香花。人人都惦着泞子河，却不知道這神秘如白衣的盔甲廠。

人人都惦着神出鬼沒有泞子河，却沒有人知道這千萬變化的盔甲廠。

一九二五，三，七。

二，一杯水

偶爾未留意將黑。一瓶都灑到書棹上，那墨汁一直流到盛滿了淨水的杯脚下。墨汁不住的浸流着，可是那杯中的水靜靜的不動。

假若從天邊上飛來一注勇士的熱血，將這杯子給撞破了，那末，淨水要助着墨汁浸流得更快了，而且那赤紅的血至少也攪和在黑墨汁裏。

這總緣杯子是玻璃的，太易破了。假如杯子是金的，那末，或者那一注熱血能攪在淨水裡越發的鮮艷了。那杯是不能破的，可是沒有人用金杯，一向沒有人用金杯。

人人都用玻璃杯，因爲玻璃杯可使淨而又靜的水透出傲慢的骨格來。

一九二五，三，七，京。

三，游神

一天，我正在想起死去的一位老人，忽然從窗戶中跳進了一個小孩子，他要我同他遊玩去。於是我就聽了他的話，閉上眼，我就隨着他飄游去了。

他領我去看太陽，那個地方或者是泰山頂罷。他對我說：

『那就是青春。』

我猛一睜眼，覺得陽光太亮了，如同針刺似的刺得眼疼，卽刻又閉上了眼。他說：

『那就是青春。』

我對他說：『青春太强烈了，還有温柔一些的好玩意兒麽？』

『那麽你就看我。』

『你，你，你是什麽？』

『我是你所想念的老頭兒。』

『唉，原來你是已死的人了，我以爲你便是青春了。』雖然口裏這樣說着，可是心裏總是有些不暢快總覺得那太陽太强烈了。

那小孩即刻不見了，我依然坐在桌邊，筆墨都在前邊擺着；於是我急忙接着寫我的情書。

三，七日。

四，新月

新月躺在藍帳中哭泣，因爲那羣小星星們都離棄了她。一天，她忽然看一個小孩子在地上又哭又號，覺得有點兒奇妙。那孩子原來也和新月有同樣的苦衷。

她一直看了他一個月了，他還在哭泣。她一頭攢進被窩去。埋頭了幾天，再探出頭來，他還在那裏哭泣。新月也忍不住向四外環顧了一下，哭着聲問道：

『你們誰去安慰他去呀！』

寂然，沒有一聲反響。只有極遠處一顆小星星在那擠了一擠眼，吐了一吐舌頭。

一九二五，三，七，京。

一，槐香

微雨之後，手拉了親密的朋友，在昏昏的月光下，細細談心，無意間來到了街頭靜處。便覺得一股淸香，有如桂花的純細，原來我們進了槐木林裏。

仰頭望一望槐花，美麗似一位掛孝的女子。我不禁心中奔騰起無名的憂鬱——想失意人如果到了此地，他當怎樣的難過，怎樣的顧槐花淸香而自憐？槐花香了，游人如織；槐花謝了，游人散去。任槐木雖不覺得有多少悲哀，而失意人望見就觸景生情，恨不得一時就入最後的安息！

槐香

槐花尙在揚眉吐氣地瀰散着香味，他似乎不知香味終盡時的孤寂。雖然有人惻槐花稍斂踪跡，而清香却仍然隨雨後的微風吹來吹去。我們在這惱人的槐香下，走來走去。稀雲邊的明月光，也在忽來忽去。

五，十，夜半。

40

二，蛙聲

池堂中倒影着水糊的倩影，影中隱約閃出兩盞紅燈。池畔斜斜的一坡草地，供我們幾個酒徒醉後暢談的佳境。

我們雖然沒有渴酒，心中誠然是醉了。你談的天南，他是地北，各有各的傷心，各有各的追悔。忽然間，在這漫渙的談笑正中間，傳來了一片蛙聲。這蛙聲，似失意的婦人，懶懶地在搗衣，那長杵舉也舉不起，就在石板上來去的磨動——這就是一片連繼不斷的池蛙聲。要知道，池蛙給樹下徘徊的人多少追憶，多少悲痛？這蛙，你懂得什麽世事人情，又怎麼知道人家的隱衷，便冒然拖開了同情的歌調？——非蛙排解不了心事，更引起了往事前情！

這蛙聲，不似秋雨連綿後那樣悽慘，給我們祓憂傷麻醉了心頭的人們，正在傾瀉心事的當兒，一種理不清頭緒的煩愁。每人都把話打斷，緊蹴上眉頭。

五，十，子時。

一，惆悵

五月裏，紛飛花絮，惹起人多少的愁意。到夜裏，月光似銀鏡，照徹心胸，又牽起紛繁的心絮。

終日裏愁煩悲苦，沒有法兒除解。看看青葱的遠林，迷離，迷離，看看鬥艷的花朵兒，又失意，失意。好像這世界都是陌生，都在飄飄搖搖，不卽不離，捉也捉不到，依也依不住。裏面是紛擾，外面是虛離，在醉痲人心的五月裏，如何不昏沈欲睡？

不願再睡，夢裏的天地，空給人醒來不快的追憶。不睡時，又這般無聊。在這時，只有難過和焦急。雖然芬香的五月給詩人不少的讚賞的材料，而給一個昏愚的人的，只有慵惰的神氣。

五，二十三，晨。

二，林中

晚鴉啼聲中一個人孤孤單單地走到泡子河，對故宮廢墟空竚立了片刻。這裏，一帶枯長河，河底生出叢叢雜草。封碑聳立處，橫斜地臥着玉石塊塊，暗示人以往年的繁華。繁華，總歸是虛無的泡影，漫說是王侯還是豪家。

擇一席茵褥坐下，在林中豐密的枝葉下，一邊兒尋思，一邊兒眺望着遠霞。昏黑裏，沈靜裏，寒冷裏，陰森的荒墟林莽裏，只有我自家！

無語，又好似有人對我講什麼話，冥冥地一直坐到月光射到城下花。這才慢步低歌，回向來路。但還依舊舍不得就去，幾次回頭，向凋零的泡子河道些晚安的話。

五，二十三，晨。

三，安慰

竚立在泡子河的高坡上，遠看紆廻的叢林，似入了山徑。叢林後，陰雲密佈，似吃墨紙上染了一片片的藍黑墨水，漸漸的從林後突出一片紅光。這紅光好似人的希望，又鮮又亮。這紅光愈散愈淺，直到又變了灰色。這時正在心痛，忽不得再看，就把着書低頭回來。歸路上，滴點幾點雨珠，遇見一位莊嚴的朋友。他的神氣，他的言語，都時時使我軟化。這一忽兒他問我：泡子河上竚立想什麼了？要快樂，看方才紅光的輝煌，那就是你的將來。我聽着，好似有千般訴不出的苦衷，一陣心酸，眼淚在眶中滾來滾去。還有裝出鎮靜的模樣，板着聲音，說一聲「我很歡喜」。這時眼淚乘機擁出，我只好扭過去急忙擦乾。還回頭說一聲再見，我匆忙地走去。但還恐安慰者要有疑心，更回頭去咬着牙強做一聲酸笑。跑到屋裏哭了一晚。

紅光和安慰的話，只換了我一些酸笑去。

一九二四，六，一，晚，大雨。

四，心痛

自從昨夜雨起，心裏陣陣的作痛；雖然我對於死沒有絲毫懼怕，但這樣不通快的死也委實不情願。飯也吃不下，書也讀不下；心裏總是不停息的一打一打的，好難受的病！

想出千方百計，都歸無效。生平就怕見醫生；所以還是自己想法把病忘掉。手裏隨意揀起小泉八雲的文章，想逃開腿到泡子河去開開心。泡子河的綠枝青草，一定經了雨更鮮艷了，那裏的小羊，也許可解我的病；那裏的古廟，也許可作養病的地方，那裏的橫錯的石塊，也許可供我安坐念書。

那裏遠看西山灰影，和落日的黃輝，也許可使我忘掉這一刺一刺的心痛。可是剛出了門口，心裏又是一陣深痛，唉，回來罷，腿已經邁不開了。

回來又安靜的坐下。怎麼樣可解除此病呢？寫上二篇文章，把心裏多少年的積污，都掏了出來。這樣可許把病除掉了罷？好，寫，寫，提起筆時，心裏痛得更甚——往事那堪追懷！只好任他胡滾地過去，把筆管兒拋開！

我想或者睡是可以治了心痛症的。那麼臥在床上睡。左翻右轉，翻翻轉轉地許久，一樁樁心事都擁到心頭。心更痛，淚更多。起來，還是起來罷。

無論如何，心總是痛的。愈是想法制止，愈是痛的利害

啊。任他去罷，反正我正想死，就是這樣痛死也好！

一八二五，六，一日。

五，莫來由

莫來由，這倏忽的新愁！任憑你富有千石膂力，把它撼不動，把它移不動。

泡子河的水漲了。遊人如織，反沒有狂風暴雨時那樣幽雅動人了。我滿懷不能告人的悲哀，也向着芳草訴不得了，只有含得眼淚，拔了一株無名小草，低頭回來。

如果世界上還能有一位醫生，把我的心細細解剖一下，他應當百分驚訝：因爲我的心還舊是赤紅坦平，沒有一些慾望的皺紋，沒有一些悲愁的痕跡。其實，連我自己都不知愁從何來，何況他庸俗討厭的醫生？連我自己治不好自己的心病，何況他庸俗討厭的醫生？

一九二五，六，二，黃昏，泡子河歸後。

六，病中

病中無事，寂寂寞寞地坐在窗前。覺不出眼痛，反覺出心痛。眼痛，只似小刀子刺傷一隻手指，心痛，似渾身放入沸油裏熬煎。

悲痛來去顯不出痕跡，但黃枯的臉，乾燥的唇，和緊鎖的眉頭，都能微許給些索隱。

人生如瀑布，有趣，有趣，如果人生似一流平靜的河水，還有什麼玩意處？正因爲它的激暴的盪來，猝然奔來，才生出種種音調，種種形式，和種種的美麗。人生若儘是平靜，則世間就死去了。回憶；雖則在病中暫免去悲痛的追想，但細比起波濤，實在也乏味，乏味。

病中的光陰頹唐已極，懶得舉筆，懶得動喉，甚至懶得移動身體。這不是因爲病的力量太大，是因爲心中的積痛，將精精神神的一個青年，打倒不能站起。

一九二五，四，十四，午。

頤王府

從前：煌煌琉璃瓦，錚錚金鈴，黃金壁上雕龍畫鳳；牡丹花吐出嬌貴的薰香，佈滿了玉欄金藻，朱門紫棟；燕子穿插飛要在珊瑚巢。：：如今，唉，只有光榮綺秀時遺骸，長伴了一叢叢野草！

這裏是一位王府舊邸，雙石獅岸然沈睡在高簷底；長槍闊斧都生了重重銹色，笞杖竹板倚在塵灰裏。高柱上模模糊糊地還留着與時俱化的鮮艷譽揚辭；棟宇樓台，一齊傾圮，大理石路的罅隙中生滿了荊棘！

十，十，北京。

鄰家的佛聲響

玎璫，玎璫，
鄰家的佛聲響。
一聲阿彌陀佛，
兩枝雙料的高香。
洗干淨了玉手，
來到佛前插香；
虔心供奉上祭酒——
玎璫，玎璫，

警誠誠地合十禮拜，
跪在紅氈包了的蒲團上；
一聲阿彌陀佛：
暗裏求神快賜個蕭郎。
不怕他簞食瓢飲，
不怕他生來是個醜模樣，只要神靈保祐嫁個梁鴻，
阿奴情願作個孟光。
玎璫，玎璫，
再奉兩柱香，

再斟換三盃美酒
作個預先的謝償。
阿彌陀佛，玎璫，
果然你眞發慈悲心腸，
我必奉八尺黃綾，
說不定還給你重塑聖像。
有求必應的神和尙，
赶快帮一個忙！
請看你的虔誠的弟子，

鄰家的佛磬響

清晨打掃飯後燒香。
玎璫，玎璫，
鄰家的佛磬又在響。
又是一聲阿彌陀佛，
又是兩柱雙料高香。

十三年十二月六，晚，正在讀銀煙盒，忽聽隔壁的佛磬響，一時高興寫的，本不成東西，但讀來尚順口好玩故仍收入。

60

淮軍義塚

一

半圈低迴腐舊的穿孔花牆
圈繞了一叢叢高矮不齊的茂雜的綠草；
這一片悽慘的曠野，誰來光顧？
淮軍義塚內的幽魂夜夜啼哭！

二

昏昏的夜晚昏昏地展着一塊添愁的野雲
在憑弔着孤單，乏味，悲感的哀靈；

這一片悽慘的曠野，誰來光顧？
淮軍義塚內的幽魂夜夜啼哭！

三

沉沉的夜間茂草裏綴燃了燐光點點
在低迴腐舊的穿孔後時隱時現，
欲伸寃，欲訴怨，淮軍義塚裏的
一團鬼氣瀰佈得森森靉靆！

四

應有幽靈們的婦人趁了這時來

在這悲悲慘慘的景界內團會一次，——期待——期待，遠看
着飛來一輛大車，只是沒有停在塚旁稍稍憑弔唏噓！

五

妻子早已改嫁，老母想是死去，這幽靈們
死守在淮軍義塚內，期待——期待
到東方破曉，雄雞高唱着五更。
那有人來憑弔，那有人來咽哽？

六

淮水上百戰百勝的勇敢何等豪放？

披堅持銳，將七尺身軀作下業障！
可憐終於是一片荒塚裏暫寄身所：
聽野風吹送來村人戰勝的鑼鼓鳴鑼！

七

一羣未知名的武士終是未知名的死了！
誰還顧念着野塚底下，小河流畔，
哭着待着的淮軍幽靈之悲悽愁痛和憂傷
如顧戀着高簷大廈裏的粉白黛綠一樣？

八

嗚嗚地哭終歸無用呵，幽靈淮軍，
臥着罷，待着罷，安靜靜地臥待着
到十年後人跡侵寓到你們脚下時
再預備爲橫河捐棄一塲大哭罷！

淮軍義塚在天津故城外北，幾次經過，都使我落下暗淚，帥老爺們的勳章纍纍，只知道逢人炫耀，誰還顧念這荒郊中隱藏着的戰士塚呢？

一九二四，五，二十。

悽愁的

悽愁的清晨，毫無消息，不知道
何時落下的雪跡，莫除掃，
提上草履，帶上氈帽，要
向綿軟輕蘇的銀白上走兩遭。

望遠樹在寒心的濛瀧裏，穿了
縞素的衣袍，這般動人的朝
景，應是失意人來領略，

個裏傷心輕煩銀草皓枝憑弔。
驚夢的寒鐘響處，令烏鴉在巢
裏也斛觫心跳；何況愁惱，
悲憤，充溢鎖緊的眉毛——
看風雲霜雪都各在哭泣呼號。

一九二四，十一，二十四，京。

道一聲珍重

深夜寂寥，
你在門外乍遇見我
愴惶趕向死的路程。
不用躭心我的下落。
我從今須嘗遍甘苦，
到此迷茫的人世奔波。
你可別要難過。
我偸人到這世界，

還須偷着回去——
兄姊，
從此你們不再見我的笑顏！
不用留我小住——
我向你道一聲珍重。
你將來會立業成名；
只有我，理該流浪天涯，
受末世的飄零。
不用留我小飯，

我已沒有心意言歡。
如果你對我的情意還不錯，
請在我死信到時
賜一回薄薄的祭奠！
世界，一切繁華，安適，
我向你們道聲珍重！
…………………………

那大門鏗噹一聲閉了，……

十一月十五日

我的祖國

半夜裏，展轉反側着，
看窗外的明月皎皎，
悯悵，太息，悲憤——
我的羸弱的祖國！

我常想投筆從戎去，
雄糾糾地到了戰區，
拿我一腔鮮赤的熱血

和淚與怒做成的身軀，
換得個自由勝利之局。

但，我，只是赤手空拳，
講什麼荷槍備騎赴戰？
只有空對着明月下的大地
致愛於我祖國的靈魂。

假如你祖國的幽靈

能給我千石腕力的機能，
我當牽十萬健兒們
到沙場殺個天地轉旋——
凱奏着中華的雅化文明。

我的心從未屈服於蠻野的勢力。
在白天，掙扎着自由，生氣；
在深夜，爲這羸弱的祖國
對無情的皎月嗚嗚哭泣！

悲觀，人生只有悲觀！

但在一塊重石的壓迫下，
我不能空自投下萬尺深淵，
或者墜自千仞的懸崖——
死得那樣不值一枚銅錢！

夜的蹈舞

夜姑娘左手提起了黑藍色的裙角，右手張舉着墨扇，便翩翩地跳舞了。

她薄衫的四周用沈重的明珠鑲嵌着；半球的髮髻上戴着一顆大珍珠。

當她在不息的舞躍，那些明珠一閃一閃地閃出光耀，頭上的大珠，有時被扇兒遮住，露出時，便益發亮得刺目了；當她在左顧右盼，一絲絲的柳條輕輕地落入池中了，一朶朶的花兒偸偸地穿過了竹籬了，但在她未看而不看的地方仍是黑暗得沉寂；當她在抖弄衣裳，一陣陣的輕風送她袖中裙裏的香氣，到百合身上，荷花身上，和夜香花的腋裏，更佈滿了園裏林間；當她在酣酌脚步，夜鶯奏着美麗的歌聲，能言的鳥在旁喃喃地講說她跳得怎樣的和諧的符節，——呵，一切都催八入夢呵！

夜姑娘於是微微地笑了，笑聲盪漾到林邊，林裏的葉兒也哈哈笑了；在睡眠的鳥兒驚醒來，也互相問了一兩聲是什麼消息。

這在跳舞的夜姑娘實在倦了，便和衣臥在銀灰色閃着海

青光的帳裏。於是，呵，於是世界上的一切都開始談講夜的
美麗，一如劇場裏一幕閉後的噪雜聲。

登臨

無窮的晚烟，一絡絡的相思愁；我不是望見春水想到了青梅竹馬，實在念念不忘我的小樓。

城上模糊的人影裏，看遠樹飄搖如畫，西山的黯景後，彷彿是我的故鄉所在，令人恨不得飛越山海，去尋找快樂的故鄉。

故鄉的小樓裏，有詩書萬卷，香茶一杯，酒後眺望碧水青山，醒時談的是美人香草。只知道春來時把衣服換得薄薄的，管不着他朝政的興衰。

可是現在只有終日的忙碌，不得一些清閒，爲着誰來，爲着誰來？看城根一堆一堆的荒塚，埋的是王侯還是書生？

每一登臨城牆，在莊嚴威風裏，便想到我的故鄉。無窮的晚烟裏，又想到故鄉，但日落窮途，山影迷離，想到去故鄉的路徑，又覺得心跳神悸。

一九二五，三，十九。

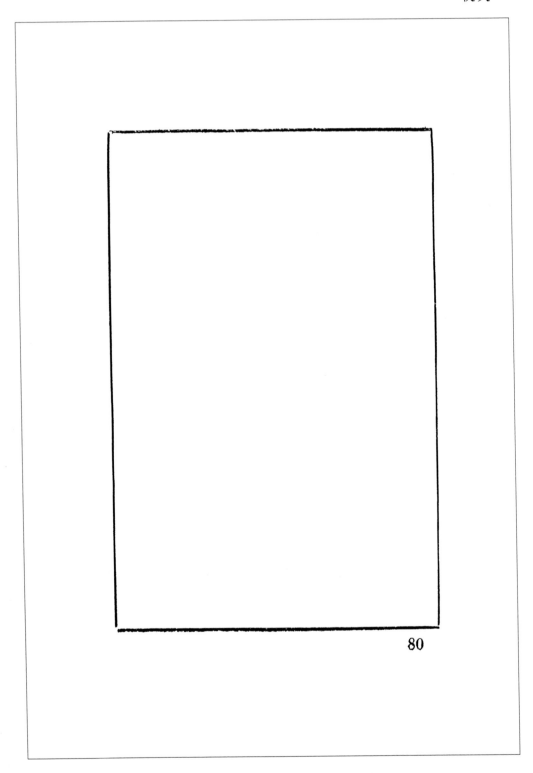

80

一九二六年七月初版
實價三角
著者 焦菊隱
發行者 北新書局

他鄉

焦菊隱 著

北新書局（上海）一九二九年一月出版。原書三十二開。
影印所用底本封面缺。

他鄉

他鄉

焦菊隱著

北新書局

一九二九

自記

這一小冊子是我近一二年來所寫的東西，我不敢名之曰散文詩，因爲它們只是散文，只是隨感錄。但我敢于聲白的，就是這一集內的散文，都是在最感苦痛的年月中呻吟出的。

焦菊隱紀于北平，一九二八，十，十。

目錄

他鄉

他鄉的雲烟，似故鄉的黃沙蔽天；他鄉的雨珠，像故鄉的北風冰寒。

含了冤抑，憂鬱，苦悶，疲乏與被壓迫的悲痛，我伏在這行將凋落盡了的樹林之下，遙望着遠山在黑茫茫的空幻裏；惦念着和平的家鄉，在炮火的顫聲裏。

我正作着一個噩夢：在狂風似的旅途，我捨了恩愛，從猋馳的青春車上，跳到那凶浪拍上沙灘的海邊，是否我可以化成苦苦的海水，與起高高的波浪，捲入人間，將一切都吞下我這惡恨的腹中，行一次殘忍呢？我正在遲疑。忽地連續的砲響，把我從夢中喚醒。我急起來向暗中瞭望那裏，那裏正死着千萬英雄的遠處，閃着火光。

哎，把熱血灑在自己身上，把一切犧牲在沙場，還可以親手殲滅這世界的一部份！誰更比含了寃抑，憂鬱，疲乏與被壓迫的靈魂，無處伸氣去呢？

夜風緊了，戰雲在繪畫出慘敗的家鄉，冷風吹來了湖水的顫動於茫茫之中。山邱都掩了臉伏跪在草野，哭泣着永不能哭訴的曲衷。那和平的音韵，在我戰索的心情中，已被軍

2

篇的淒聲所掩。全宇宙啊，都在悲泣——悲泣這些誠勇的男兒，慘死於慘惻之中。

然而那更慘於慘死的呢，只合孤另地在山之深處，夜已頽唐的時節，在行將凋零的樓間低泣。

我於是又在入夢：我站在吐火的山頂，高出於灰色遮蓋的青天，拿着那斬過多少的青春，忠誠，熱誠的寶劍，指揮着多少鳥托的士卒。我把這全在世界用破壞燬，我把人間消除，我把那伏着殺機的笑臉，那酸刻的詛咒，一並和怨恨，嫉妬，和被壓的鬱氣掃盡。然後我一口氣把士卒們吹飛天外，把寶劍砍掉了青山，哈哈地痛笑一場，滾身入兒浪拍上

4

沙灘的海邊，化成了苦苦的海水，興起高高的波浪，捲入了人間，把一切都吞下我這恨惡的腹裏，行一次殘忍，把一切消除⋯⋯

那以後，一片陽光，橙紅色照滿了潔白的大地，靈芝草和紫羅蘭長滿了全世界——那世界再不是人寰！再不見他鄉的雲烟，再不有故鄉的黃沙與惦念，也再沒有陵侮的殘酷。

⋯⋯⋯

似人間狂笑的砲聲，轟轟地傳來，把和平與怒怨的好夢，擊得粉碎。我重現於塵世間——重返入地獄的人間。

一九二七十月下旬

血碑

黑，寒，風顫顫。

封碑呆立在我背後。我蹲在淒黃的草地上，對着涼風灑田熱淚。

　這碑面上：是否有過人倚着哭號，沾染了千古不消的淚痕？我這昏花的眼，如何看得出！夜已近了；我試探問蒼茫的晚烟，晚烟除了授人寒冷，寂寞，淒迷之外，便永永是默然無言；有時只一兩聲顫弱的鐘聲，送自似遠而實近的山之深處。我不能用眼來看這古碑，才背了它蹲在凄黃的草地上，用淚掩住了眼，用幻憶去求尋碑上的慘文。

他已然睡眠在尋不到而終可尋到的床上了。那床上，才是眞正的偉大，安適，舒暢，快樂的所在！他也許在生前作了多少偉大的功業：那一柄銀亮的鋼刀，染着點點的鮮血痕，層層的照着舊血痕，那被刺的，有老父母，有愛妻，有一切捨不得的珍惜。那金輝的綉冠，暗示給我多少老弱窮困者的哭號聲。然而，這些功業都隨冷風去了；那偉大的人們的靈魂，也被冷風吹散，它的叫號更慘於老弱窮困者的哀音：它奔逃於枯黃行將脫落的樹葉之間，與愁雲慘霧的深谷

6

之中，它在叫號着求已失的偉大之軀體，但……一切都不可復得了！這偉大者的靈魂，也將隨着冬寒的嚴酷漸漸地消泯無聲！

幽寞而悽慘的靈魂，不要再迷戀那生前的偉大罷！更不要叫號於此冬寒的傍晚，使我心碎吧！那最偉大的，是睡死在床上，這不可尋而終可尋的床！不要寶刀放在屍旁，不要珍珠含在口裡，不要盔甲蓋在身上，只要埋在深深的土下，再不見這人間的紛擾——這靜謐，這安舒，天天地還要偉大！

我方在幻視這碑文，忽然從無限的遠方，四面吹來雜亂的哭聲，這哭聲使碑面上驟添了萬千的血紋！我於是至終看見這古碑上確有血痕了，然而這不是悼亡者痛哭時遺下的慘跡，却是這享過一世榮華的英雄生前劍下所慘死之士卒們靈魂伸冤的血淚！

全身顫了，我恐怕那一羣靈魂，一齊湧來，將我囚在碑下，令我償那些未得償的生命。於是我就在淒黃的草地上，爬過了墳頭，匍匐在一棵老死的斜樹下。我張望着那四方奔來的像拿了兵器的勇士之靈魂，正在擁着一片片墨雲，凶凶地來着，狂風先給他們在昏黑中摸索着道兒。

在狂風聲中，我還能隱約聽見人間一片雕石聲，高碑一座一座的又將立起！

在這凶猛悽寒的晚上，我不敢再尋求那些行將立起的碑文上的血痕了！

黑，寒，風頹頹。

一九二七，十，十三。燕舫湖畔

遺扇

在昏沉的蒼海邊，一無人際，我心繚繞着薰香的酒氣，似醉人一樣迷惘。海風冷清清地吹來了一陣酸苦的回憶。

月正懸在天角：疏星幾點，宇宙淒涼；灰色罩住家園。老母扶我乘上了瘦馬，幾點默然無語的悲淚，送我就道。我把熱淚咽入咽喉，當作酸酒。朦朧寂靜中，鑾鈴撩亂中，我幾次回首，幾次見我母還倚在牆角低泣，使我幾次酸鼻。

幽揚嬝弱的小風送傳來顫弱的低呼，我急轉過馬頭重回

10

到母親身邊。

她已經因傷痛失了語言，眼爲淚所模糊，乍辨不出幼兒的復歸。我軟聲呼了母親，她才把笑容掩住淚容，想欺她聰慧的愛兒。

她說呼喚我不是想我，是爲給我一件禮物。『這裏一把象牙小扇；拿去細玩。它是你父親十年前給我的珍物，同一樣的一把在他手裏；這一把在我手中，如今我贈給愛兒，祝你前途幸福。』

我輕輕吻了她的皺額，吻了香扇，幾行熱淚，送我疾馳而去。

這淡黃的玲瓏物，象徵着母親的愛，願望，和慈厚。我緊把着它不離身邊，把它當作靈符護身，莫有更心愛的東西可以佔有我的方寸。

但——當那蒼海茫茫，黑夜昏昏的時候，沙灘上的巨魚，翻跳所激起的水聲，和奏着微微泊泊的低泣，我竟在淺沙的海岸，暈倒在自然的懷中，似嬰兒落在深谷，全然失了知覺。那牙扇，竟偷偷地溜下水中，沉，沉，沉落到寂焉的海底。

從此，再享不到溫柔的小扇扇動的香風了，幸福的命運之神不會來臨，祇遺留不些永世不泯的悔恨！

12

一九二六，七，十作
一九二七，四，十一改作

西望翠微

來住在山下已半年了，每日沈醉在這湖光山色中。去年深秋的時節，才遷居此地，日日看楓葉鮮紅的小島上，拱立着老松兩株，平波的燕舫湖中，浮着石船，彷彿在飄搖。每當月明如水的時候，我便竚立在舫上，水中的浮影映着我眼珠晶瑩，月光下面的松柏，都似仙侶。或者在朝日未出之前，看灰雲的幻變；不久一輪鮮紅的旭日，笑在塔後，這時候，回頭斜睨山光，眞似浴

14

後的香妃。我最幸福的，是去年冬天，每天上德文在早七點鐘，這樣我可以在寒風撲面的夜間，起來圍湖邊跑一二圈，然後往課室的道上走着時，正對着西山。

哈，若提起西山，眞要叫我追憶，還要叫我希望。每當我潦倒失意的時候，（固然我無時不潦倒失意），便想起我的西山，因此我每日裏要注視它有多少次，然而注視它千萬次，它的姿態，便會千萬次不同！西山像個美女，美女都不配擬它，像個美貌的女伶，雪朝，雪夜，紅日的早晨，清風的白天，黴沙的下午，朦朧的黃昏，大風狂吼的深夜，濃霧迷蒙的終日，還有，春雲變幻中，秋雨連綿裏，或者遠處軍笳豪壯，幻憶中寺鐘沈默，小橋下流水哀婉時分……及夢中醒來睡不着的子夜，你隨時去看她，她隨時給你微笑，憨笑，苦笑，愁容，怒容，壯容，或者她竟全然埋向窮蒼裏，不給你看見。

我相信，這不是偶然的吧？她那微笑的粉靨上，我看見了千年積下的愁容。我相信，這偉石叢莽下，一定壓着有多少悲怨，這一切悲怨，你偉大的西山，既不能向蒼海號啕，又不能向碧天訴怨，只有時看時令在嬉戲，因而苦笑吧了。自從我來到這裏已欣賞了不少西山的變幻了，本擬每天寫一首詩，練習寫景，但終未果，如今

16

勉強寫下六首。

一

有一天，正是一個黃昏，疏雪如墳頭的灰片，紛紛地落在山腰。似一個掛了孝的婦人，在昏黑的分明裏，她哭泣在慘雲之下。那一連連的山峯，都似因悲哀而暈死在蒼白的一片中。啊，蒼白，秋風後濃霜滿地，枯草原與有這樣蒼白，老銀柏樹，經了多少淒風苦雨，蝕死在深山，沒有這樣蒼白，荒野裏，終夜哭泣，沒有人憑弔的腐骨，沒有這樣蒼白，當一個美女驟然聽見愛人殉身在沙場，突然消失了潤紅

17

的臉色，也沒有這樣蒼白。這蒼白，像萬籟俱靜中，鳴泉上，古寺裏空黑的一間佛堂上，顫顫出的唪經聲，慵懶的木魚聲，隔一會一聲的晚鐘聲，使淪落人的心，又一番地翻起了酸淚的波濤。我注視着萬壽山上的孤塔。這枯塔，如今是一座銀塔，一座懺悔的塔，一座塔儲滿了往事前塵新愁舊恨。我願此塔消滅，願它消滅在無邊的蒼白裏，在說不出的苦痛裏。但是它却更蒼白得兩樣，像是個死屍的唇，生前紅得消魂，死後白得消魂！

二

第二天清晨，天是晴了，但是積雪未消。春寒驟至，把冷冰打到眼簾。我倒背着手，向着西山走來。仰首看山，已有一部的積雪溶化，那一層層紋縷，像，飽經了風霜的老人，又好似雨點打了的殘荷。

美麗啊，又絕似一個婦人，舞罷歸來，斜倚在床側，珠衫未解，燈光下，閃耀着一條條的珠串，那鵝毛的大扇斜放在潔白的右臂上。啊，還是一個娼妓，是一個歌女，是一個無所依倚的浪婦，在歡笑之後，落下了一滴滴傷心淚，在嬌白的粉面上，流成了一條條紋印！不啊，如果有一羣白鴿，飛翔在黃沙蔽天的野外，也許沒有這白雪半溶時的西山美麗。

這雜亂，像華筵上的杯盤，這雜亂，像戰後的殘壘，這雜亂，這一大片無聲的嘈雜，像戰場上的贼殺。再啊，那座塔，灰雲後浴罷的白月，那會像它這樣慘情？似那美女的手指，正在拭擦熱淚！唉，這手指，曾彈過多少珠淚，多少淚珠！

我於是伏在湖邊，痛哭失聲。

三

當我從願望之迷夢中醒來時，我看見她又變了。這一次，你們爲什麼沒有看見呢？這裏，那裏，到處是模模糊糊的烟霧，從山腰中飛出。我曾看過沈雨的惡雲，從山後奔出，但，那行這樣徐綏，這樣不斷，這樣的靜靜無言。我想到密柳遮到橋邊，光明中不見日影，小屋裏，只聽見蟬鳴，佛經唪誦處，一把香爐，那樣安安靜靜地迴旋的烟啊，恰似這時的西山。我這時企望着另一世界，企望着這傷痛的世界，也都佈滿了浮煙，因爲，我遙望着那裏，似一條藏龍，屈伏了多年，一旦想脫離深愁，飛騰天外。這全山，都像雲烟在飄搖。惟有那座塔啊，那座積滿了憂怨的塔，却沈沈地動也不動。如果這雲山飛走時，這塔會仍舊落在這裏的！

啊，天啊，這裏積滿了憂怨！

四

昏昏地已到了黃昏將近的時候了。什麼事都覺得安閒不少。作工的，吸着一口蘭花末，嘆了一聲。咳，本來人生原是一場做不醒的大夢！在淺藍的天空中，看到浮的雲變化分合，湖水中模糊地映着。遠山處，一帶薄薄的霧下，罩着淺淡的西山，西山後，又烘托着幾片野雲。這時節，是雲是山，辨不分明，只有模模糊糊的一片，一層的深淺。儘遠處，天，雲，山分不淸楚，儘近處。是那座滿儲憂苦的寶塔，像死別在昏老的記憶中，分明的清楚！這一片：簡直是一場場綺夢。失去的青春，失去的靈魂，失去的歡樂，只能在此一片片蒼然的綺夢中追尋。啊，夢啊也怕不久，因為這沈沈的黑夜，將一切的夢境罩着。但，那座怕人的塔，却還能在昏黑中閃出它的白影。

五

就是這樣悲傷的一天一天地過去了。這一清晨，松針似乎驟然綠了，湖水突地起了無數縐紋。一片紫色的晨裝，飾着當日舞罷掩泣的歌女。狹眉處，閃着一副腥鬆的嬌態，她是剛從好夢中被晨光驚醒，笑渦，自然可以窺看後邊的苦容，除畫眉的柔嗁。這一片紅紫，眞是小女孩的赧顏，因爲她昨日的偷泣，被我聽見。那鬢的烏黑，那肌膚的柔白，那明眼的閃耀，那牙齒的玲瓏，這一切，都把她心中的悲苦，暫時掩過。這一座積愁之塔，也就像她的一個繡枕，倚在她身下。你只能看見一切一切的眩耀，却看不見這座引人落淚的塔了。

六

這一晚，人靜了，我從喧吵的城池，走歸荒涼的驀道。

驟如離了母懷的孤子，暗自凄啼。這路上，一列列鬼魅般的樹枝，又見一隻春天的小鳥。只有如雪的狂風，嗚嗚哀鳴。彷彿這四外盡是鬼魅，阻我的去路。我已然走得疲乏了，能憩一憩麼？但這荒野，何處是藏身之處？我跌倒在一個橋邊，垂頭嗚咽。但，當我仰頭祈天時，驟見那遠山如黑衣的寡婦，幻念着她的丈夫。她幻憶着從前她丈夫的紅唇，緊緊壓在她的黑髮上，那時何等甜蜜！這時，正是落日銜在遠山後，彷彿當日的恩情。但，轉眼間，紅日已竟消沉，只有那西山昏死在蒼茫的黑夜裏！

深　夜

昏暗的黑夜，蒙了一層白雪，我推開樓窗遠望，渾沌中閃着三兩燈火。

這是誰忽然在我囘憶中冷笑？快去，我滿身都是灰土，像荒山上的斜坡，滿生了荊棘；你們那玉白的雙手，只該去捧花紅的朱粉香頰，或去抱輕軟的細腰。不要挨近我！我的牙齒因恨而生的尖銳。我的眼睛因怒就變爲烱烱，如魔窟中的火焰。我的唇，因毒而滿染了鮮血，這倒像石榴潰爛了一個斜紋；但你不見武士從死屍中拔出的劍，劍上遊染着鮮紅麼？那就似我的唇！我的髮撩亂，曲卷着如盤繞了無數的毒蛇！我的臉，就像今夜的積雪，冷酷枯白，活像一句致命的詛咒！我的手，緊緊地緊緊地握着，利指甲竟穿過手背；這枯乾的手掌，似預備着殺人，也預備着抵抗你們友誼的利刃。我的身子居於這泥塘中已不止一日了，這腥臭，這汚穢，雖然是爲你們，你們卻不應挨近。快去，朋友！去到那邊，那邊有神仙異人！

這是誰在我回憶中迎來不自然的笑臉？去，快去，這眞像是夢中的魔魅，想來攫人精靈。這笑渦底下原來是一層怒氣，這露出的牙齒，嗳呀，正在磨擦着預備咬人。這笑聲，我急忙掩起耳朵，但仍舊如喪鍾一樣，刺進我的心脯，如一把利刃。這一雙目光，本來藏了凶殺的動機，却蒙上一層春色，似今夜的污穢，蓋上了一層雪白。這笑容，我看來像一隻惡狠，方才伸了伸腰，想撲殺人；像山後的陰雲，來勢凶猛；像深潭的墨影，照見我自己的顱影：使我心悸。不要挨近我，快去，朋友，把笑聲省下吧，省下再去殺第二個人！

這是誰在我回憶中詛咒？快去，你們是快樂的人？我想不出我有父母兄妹，更怎敢回憶飲過友誼之醇酒！我已把青春失消，失消在悵惘的忠心中，我已把天眞焚葬，焚葬在你們那蒙了白雪的土墟中。我彷徨；彷彿在荒野，我把野鬼當作了親密的人。現在，我已是鬼中之鬼了，更那有廢墟容我濊身？我只得把地方讓給你們，如你們所指定的，伏在這河邊的泥潭中。快去，爲什麼還詛咒我？快去，去得遠遠地，好聽我給你們歌唱永訣的哀曲。

啊，好冷啊，是春寒還是心寒!?我怕，怕——深夜中回憶起友誼。我的心跳動，我的背縮冷，這小燭恍恍，生恐有什麼東西，將它驟然吹滅，昏黑中門開處進來一個蓬髮無臉無心只有長爪的人，一下抓住我長久疼痛的心胸，還求吃我已失去的眞心……

我全身顫了，只有蒙起頭來……夜深了，聽見一兩聲顫動的更鼓。

一九二七，三，十三，大雪之夜

燕舫湖畔，海甸。

銀夜

清幽的銀夜！

迴繞的山腰裏，到處閃着銀光，彷彿有一雙雙白蝶，飄蕩在眩目的冷香裏。山的一切愁眉，和怒氣未消的兇貌，都埋在寒冷之溫柔和淒楚的繁華之下。我舉起沉重的脚步。緩緩地踏在綿軟的雪上；心裏頭經了一次寧靜，像那頹喪與熱情澎沸的波濤，忽然奔到萬丈懸崖，便一直衝下，——啊，一匹不斷的銀瀑，傾瀉萬年罷！

淸幽的銀夜！

四下裏閃着耀目而昏昏的輝煌，我頹死地長揚在浩浩的天下。那裏，淺藍的晨穹之中央，閃着一瞳明月。她長久地悽涼地哭泣於無人憑弔的荒野，長久地將疲倦的美貌，倚在枯林梢上，注對着一帶冰凍的長河號啕——有人聽見她在蘆花騷動，水波微笑時咯咯笑語，可有誰知道她久慣在暗暗蒼林後，廢塚邊，伴枯枝爲已失的生命狂呼時的悲泣？她的眼紅腫着，但因爲宇宙第一次暫時的品潔，她也就微微展出笑容，雖然眼淚還依舊滴在渺茫的寒氣中。

淸幽的銀夜！

死的靜寂裏，彷彿有無數的笛聲，充溢了宇宙。這也許是我長久的幻憶，如今演在夢中，雖然這不是假的空夢，但在眞的空夢裏，我望見了遼遠的西山，掛着縞素的衣裳，回頭又看見多少鬼魅似的老松，拱立在湖畔與荒島的上邊，我就覺得一股陰森的濕氣，重奔入我的靈魂，這一切飄飄蕩蕩的銀白，能不是夢麼？

當我忽然跌入積雪成坦路的深谷時，我正問着，這能不是夢麼？

寂月

淒流邊佇立着小亭上的鉄馬，止了吟哦，把詩句抛向寂靜的風，無處漂泊。

山下如烟的枯林，湖裏蒼頽凝死的苦水，和千年訴不出苦來的瘦石，都被晚霧觧蓋着，靜默無言。她的眼，看一看惱臥在山腰的暮烟，看一看殿脊上泣後之睡的烏鴉，和最怕見她苦臉的梟鳥，不自主地流下熱淚。

誰曾知道她的寂寥，誰曾知道她的漂泊！當她埋頭在黑夜裏痛哭時，世間正是絃歌琴舞，彩飾燈籠；當她在光明的夏夜，拭乾淚痕，加上胭脂，舞給世人時，這世間，便充滿了虛空的讚美，高聲歡呼，誰也不肯理會她舞衫上尚有淚痕斑斑。

冰寒的風酣睡着，人聲寂了。她被棄在這樣幽涼的荒野，獨自嗚咽。哭聲倦滅了後，一片光明的靜寂！

一九二七，一月，廿五下午，

燕舫湖畔。

夜禱

昏昏的夜雲擁起幻化的紫峯，從冬霜的寒韵裏，蕩漾來古刹裏悽惋的鐘聲。四周是迷離的原野，遊散着那僻的靈魂。我的心，似一個掛孝的孤子，痛哭在晶冷的湖濱。似有連延不斷的怒濤騰翻在耳際。我顫慄着懺悔，求情於夜之精魂。

當我因深痛暈去時，我突然發現了自己，游泳於一片晶瑩的世界。我面對了那介人生悸的自己的靈魂。細看出它一點一點的廿載傷痕。

當我蘇醒時，四下裏仍舊是昏昏，但在渺渺的烏雲隙間，露出了一線光輝。啊，我的星！這是生之火花的閃動，是悔恨，悵惘，哀苦與失意之燬焚。我的心，和你，上帝，又重新誕生！胸裏迴旋着如燃燃的焦思，我又猝然匐匍在祭壇上，流着悔感的熱淚。終夜默禱之後，我顫顫地微微發出一聲『阿們』！

一九二六，十二月十三晨。海甸

長夜

天！冷風暗悄悄地鑽進了殘破的紗帳，把我恍惚的靈魂，從幻雲深處呼回。

睜開紅腫的迷朦雙眼，落下的淚珠滴到手上。回念起多少夢世中的悵惘事。滿了悲怨和愛情，却又虛空像荒廢墓穴的淡然一片心，我覺不出它依然還在血潮澎湃的胸中，或者只在我的幻憶中蕩動。就是我，在這飄飄渺渺的世界中，也不知自身是浮沉在一片無涯的苦海，抑或戰慄在積雪盈丈的高峯。

我儘睜着無用的雙瞳，在這世界，猶如盲目的老叟，把兩臂希望地伸向前面，似在迎抱情愛，寒風吹得亂髮披散在額角，筋肉連陣地抖顫。邁開步，似走在危崖的盡處，不知是將跌落下千年洶湧狂濤的幽澗，還是將依然能留足跡在人間的草莽上。我真願長久在此聽蛟龍的嗟嘆，狠虎的呻吟；但是爲了你，我的碧，我不忍拿白骨引起你的傷心淚，當髮蕤鬖稀的年紀，時常想起地下的我來痛哭。這一切，他天知道得很詳細。他是個神能的劇家，他要悲劇，他要失意犧牲與死的結局；爲使血流得更紅些，他既安排了幻繪的凶雲，悽號的悽風，和這冰寒的冷夜，又要將我的心愛，葬殘骨在滿藏怨尤的郊野。碧，是我襤褸上的明珠，踟蹰在寒夜中的燈火，心跳的衝激之潛力：碧去，我便將脫離開受難的軀體，隨着迷漫的風雲，越峯蹈海，化作空虛。

無意中我已走到湖濱，湖水在喃喃低語，說主宰這黑暗的，只是同一賜人幸福的上帝。我顫動着牙齒。不自主地跪在湖濱。面前莊肅地立着祭壇。以往的年月裏，也必有人祈求心願。跪在壇前痛哭。我現在，淚將枯竭，只有眼，心，手，都呈獻給上邊空虛自然的主宰。在我的回憶裏把以往未來的種種大夢重演在眼前時，我忽地伏倒在壇前。風從水中帶出來濕潤的苦味，直撲進了我的骨髓。

這前邊的淒流，漂浮着多少幽怨，一波接一波地湧起不幸的苦紋；困居的小魚，痛苦地翻騰在微波下。這荒島，埋瘞了多少凋葉殘花。荊棘滿地，年年變易着生命，只有拱立的古松，能微微地述說出一些落淚的故事。這荏弱的小樹叢，這淡黃微紫的小雛菊，都伏在寒風下暗泣。它們的哭聲，藉了秋蟲的小翅，傳進了我創洞了的心中。這荒涼的夜啊，一切都陪着我的默禱在新天。

天！夜好長啊！當太陽在寶塔後笑紅了臉時，她的眼光射到光流，射到石舫，射到巍峨翠紫的高峯，我可以望見希冀之塔的粉紅頂，可以遼遼追尋到碧雲深處的幸運。但，這黑暗，將一切希冀幸運，似狂瀾之無情地吞去。我只覺得心驚，只覺得這世界在左左右右地顫動，只覺得一切繁華都成了永久的回憶，永久的追想，追想，我的情愛，也和過去的年月一樣，只成了空空的夢想。天！我祈求，白天再來，使溫暖和笑容把山川潤色，使叢叢的凋木重仰起頭來歡呼，使猙猛的地獄，重現出朱樑紫棟，繪藻雕紋，和那偉大的天堂似的華閣來。只要一次；一次，我便甘心殲身，在沒有人跡的深谷中！

在四野低嘆中，我心衝騰着熱血，我正念到仙人，她正

42

在夢中見到故人的哀苦，哭不成聲。忽然，從偉大的山中，傳來了「他」的答應，這聲音，顫顫地傳自遙遠的峯頂，成，慘，痛，怨的腔調，合成古寺中老僧懺悔的鐘聲！他懺悔，不該生在人間，這人間，這充滿鬼魅的人間。他懺悔，不該把天賜的心埋在美人的胸裏，永世取不回來。他懺悔，不該使伴了狠豺的玉人，時時念到他的靈魂而痛悔。她不知他遁入了空門，或者白骨已化了鳥泥；正如我不知自己將入空門，或將棄白骨於鳥泥一樣。

鐘聲喚出我的熱淚，涓涓不盡地淌流。在一片單調的酸辛聲韻中，我伏在草莽上，漸漸入夢……我祈求天把這些都

啓示給我！在冷風刺骨的塞頣中，我最末努力吭出一聲——44

『阿們』！

一九二六，十月七日黄昏燕舫湖畔

海甸。

期誤

愁淡的閒雲，把小院的花影呑消。飄搖的嫩枝弱葉，隨着淒風太息。紗窗後，我屏簾竚立，焦急，悔恨，憂疑，將如嬰兒失了母親地哭泣，幾次酸鼻，幾次制抑，因爲有人的脚步聲音得得地響在沉寂的黃昏裏。

急忙憑窗企看，不見你，却是旅客征人，促緊落在異鄉的快馬蹄，尋覓旅邸。同一種愴惶，同一種焦急，何故我却死守在小室，不趕向前程呢？我知道；前途遼遠，路途多荊棘，天地昏黑，不辨東西，果然遇到小茅廬，又不知多少生客面猙獰，將更何等悲悽！於此我眼送征人去遠，替他們懷着希冀，替他們向天暗祈。

天已黑了，虫聲唧唧，沒有明月，祇有慘酷的風疾，雕邊吹來的似毛毛細雨，我心的僵冷，絕望，使我幾乎暈倒在地。你終於沒有來，我怎麼沒有隨了征人去！哎，哎，如今啊，如今，我只有獨守此地！因為世界昏沉，無處可棲。前途趕不得，前途趕不得，前途中只有失意，失意，決沒有比墓墳更舒暢的旅邸！

一九二六，七，十九日晚。

歸家

弱柳飄蕩着，隨諧了柔膩的晚風舞動，瀟灑的幽情。

靜寂裏，偷偷地流過細流的清波；一絲絲銀光似流星的閃逐。淡薄灰雲，遮去了半鈎斜月。

人聲靜了。

我獨在窈冥中坐在河畔的柳影下，望望銀月，望望流水。昏暗中微風並無涼意，因爲，因爲我的心受遍了創傷，血液的奔騰，使週身如火地燃燒。

我的心滴血。這一滴滴的涓流都是我該有的綠柳年華和銀月光輝。我愛惜；我吝沈地希望；我把你的倩影，笑容，溫存，都全個拿來包在這不完整的心上，使它再苟延些時候，再苟延些時候。

我倚在樹根上，一手扶地，一手撫摸着胸際；這裏像水的騰沸，一拍一拍地，急跳反襯着靜靜的光流，隱隱地倩風。我覺得這四外模糊的柔身，都包圍着我鈍倦的感覺；麻木，昏暈，疲乏和痛楚，使我迷離入夢。

朦朧的月色下，我彷彿看見了黑花叢裏伏着個老人，他飽受風霜的皺臉，和酸痛的淚眼，我雖迷茫，猶能辨出那是

48

我的衰老的娘親。她伏在花牀上低泣，伸訴着一生掙扎的悲苦，與幼兒遠離不歸的酸辛，她的淚墜落在小池裏，打出花圈來蕩碎了玫瑰花影。

『老母，兒子在這裏了』我一陣脊冷，熱淚奔逐出眼來。我奔去抱她，却撲了個空虛。睜眼時，弱柳依舊飄蕩着，諧趁着柔膩的晚風舞動。

我已然倒臥在河沿，心的酸痛，和苦惱哀怨，壓住了我柳條似的四肢。我已覺無力呻吟，嗓喉癢痛，行將嘔出熱血。

于是在夜月倦極沈睡的時節，我匍匐着歸家。

可憐她還不曾白盡了稀髮，她的淚因喜樂洒在粗布的衣襟上；我拿慰藉的絲袖給她擦乾。她送給我一口接風的喜酒，我把它隨淚嚥下，甜，苦，酸，混成一味，像一杯判罪的毒鴆。

她衰迷的眼睛看不出我消瘦支離，聾聵的耳聽不出我聲音悽顫。就在那夜醉星沈的時節，她苦笑着問我：『幼兒，你為什麼忽然歸家？』

我沉默着，沉默着，四無人聲。黑暗中只有這支小燭的微火，被簾外的輕風吹得恍恍，這自作最末的掙扎；燭淚流滿了小几，老母的淚流滿了胸襟。

血又一滴滴漏了，心的傷痕加增。我咬牙忍痛，對老母露出一副笑容。——笑容！我又幻見了你的笑容；你在歡樂的家園，什否一念到不別而去的故人！

於是我又悄悄地逃回河畔，再看不見老母的愁容。她給我斟滿的第二杯酒，我趁她伏儿暈去的時候，放在殘燭的前邊，留給她醒後找不到幼兒時，好獨自狂喝。

我的心跳得更快了。它反襯着弱柳細流隨清風舞蕩。雖則失了明月，却聽見了引起重重心事的陣陣蛙聲。

人聲靜了，我又依稀入夢。

一九二六，七，二下午北河沿，北京。

夜哭

夜正淒涼，春雨一樣的寒顫幽靜的小風，正吹着婦人哭子的哀調，送過河來，又帶過河去。

黑色孵着一流徐緩的小溪，和水裏影映着的慘淡的晚雲，與兩三微弱的燈火。星月都沉醉在雲後。

我毫不經意的踱過了震動欲折的板橋，黑，寒，與哀怨，包圍着我如外衣一樣。

夜正淒涼，春雨一樣的寒顫幽靜的小風，正吹着婦人哭

52

子的哀調，送過河來，又帶過河去。

我只能感覺這遠處吹來的夜哭聲，有多麼悲婉，多麼慘情。她內心思念牛乳樣甜而可愛的兒子有多麼急切焦燙呢？這我可不能感覺了。我不能感覺，因為黑，寒，與哀怨包圍着我如外衣一樣。

夜正淒凉，夜裏的哭聲顫動了流水，潺潺地在低語，又好似痛泣。

一九二四，三，十二夜，津

時之罪惡

時間一手將我所有的都偷跑了，只留下了哀悔。

時間好似狂風，連號帶咲，將我的生命偷跑了；我所有的殘餘，只是哀悔。

當我在安逸快樂時，她輕輕地向我軟語纏綿，使我不能從迷茫中振起——似一隻失了翼的小鳥，伏居在溫暖的香巢。

我一聽了她甜蜜的美妙的脚聲，如飛絲般繞人心輪，就

54

漸漸睡去了。

但當我醒了時，一切都被時間偷走了；我所有的，現在，只是哀悔，只是哀悔。

一九二四，六，五黃昏。

幻象的波瀾

朋友，送你載滿了香花的詩集內，我尋到了一處黃沙蔽天所在，這就是北地，充滿了愁慘雲霧和別離的痛苦的北地。

來呀，在這夢的團聚裏，我們將互握着柔膩的手，像一對小女孩兒，倚傍着香肩，微微地低語，追着愛慕的芳香言語，如春峽中潺潺的細泉一樣清響。

來呀，這夢裏，你將仍居在北地，不會再感到暖國裏的

56

相思症，也更不信北地充滿了愁慘雲霧和別離的痛苦。這裏沒有虛僞，只有希望的藍鳥和翺翔的白鴿；這裏沒有沈霧，只有光明和清爽；這裏將爲一切「別離的愁苦」悲悼，哀它不再在北地盤留。

我的朋友，來呀；如果這能是眞的，我將如飛過了彩雲的小鳥的歡快。但，朋友，你沒有來：睡裏，夢中，我只有空伸着預備接收你的雙手，你沒有來，終究沒有來！

這裏終還是愁雲慘霧，和別離的悲苦。從你載滿了回憶的香花的詩集裏，我才曉得你爲什麼不會來到我的夢中！你也是正做着北地黃沙的好夢，盼候着我到你夢中去的！

銀夜

清幽的銀夜，似秋霜勻染了灰藍的風景。寒鴉在朦朧的樹梢正呻吟着林邊的囈語。

當我從溫暖的家鄉乘了金馬到此冰國的時候，是爲着我的龍鍾的叔父；他在月下迎我下了檀香鞍座，遞給我一盃橄欖香茶。那夜是芬芳快意；月亮正懸在偏東。

當我送我叔父到願留的家土去時，我替他披上銀斗蓬，帶上玉烟壺；月亮的白臉正映着他的白鬚。那夜是依戀不爽，月亮正懸在正中。

今夜，月亮偏西的時候，從寒鴉的口裏知道以前做是迷夢。不能再期會的叔父的銀白髮鬚不在了，而銀白的月亮還是亮得如水，照着我淚滿了的雙瞳。

清幽的銀夜，似秋霜勻染了灰藍的風景，寒鴉在朦朧的樹梢正呻吟着星邊的囈語。

一九二五，一，七夜，京。

60

仙鄉，散文詩集

一九二八年十二月付排
一九二九年一月出版

實價二角中

著者　焦菊隱
發行者　北新書局

花木蘭文化事業有限公司聲明啓事

此次《民國文學珍稀文獻集成》出版，有賴各位作者家屬大力支持，慨然允贈版權，遂使這巨大的文化工程得以開展。本公司全體同仁在此向各位致以誠摯的謝意！

由於民國作者人數眾多，年代久遠且戰火頻繁，本公司傾全力尋找，遍訪各地，能夠找到的後人，得其親筆授權者，爲數甚寡。更多的情況是，因作者本人下落不明，連版權情況都無從知曉。

因此，本公司鄭重聲明：

此叢書所錄專著，凡有在版權期內而未授權者，作者家屬可與本公司聯繫，本公司願奉送相關贈書 50 冊爲報酬，補簽授權協議。

望家屬看到此通知後與本公司聯繫。聯繫信箱：hml@vip.163.com

花木蘭文化出版社

2021 年秋